S0-CBR-688

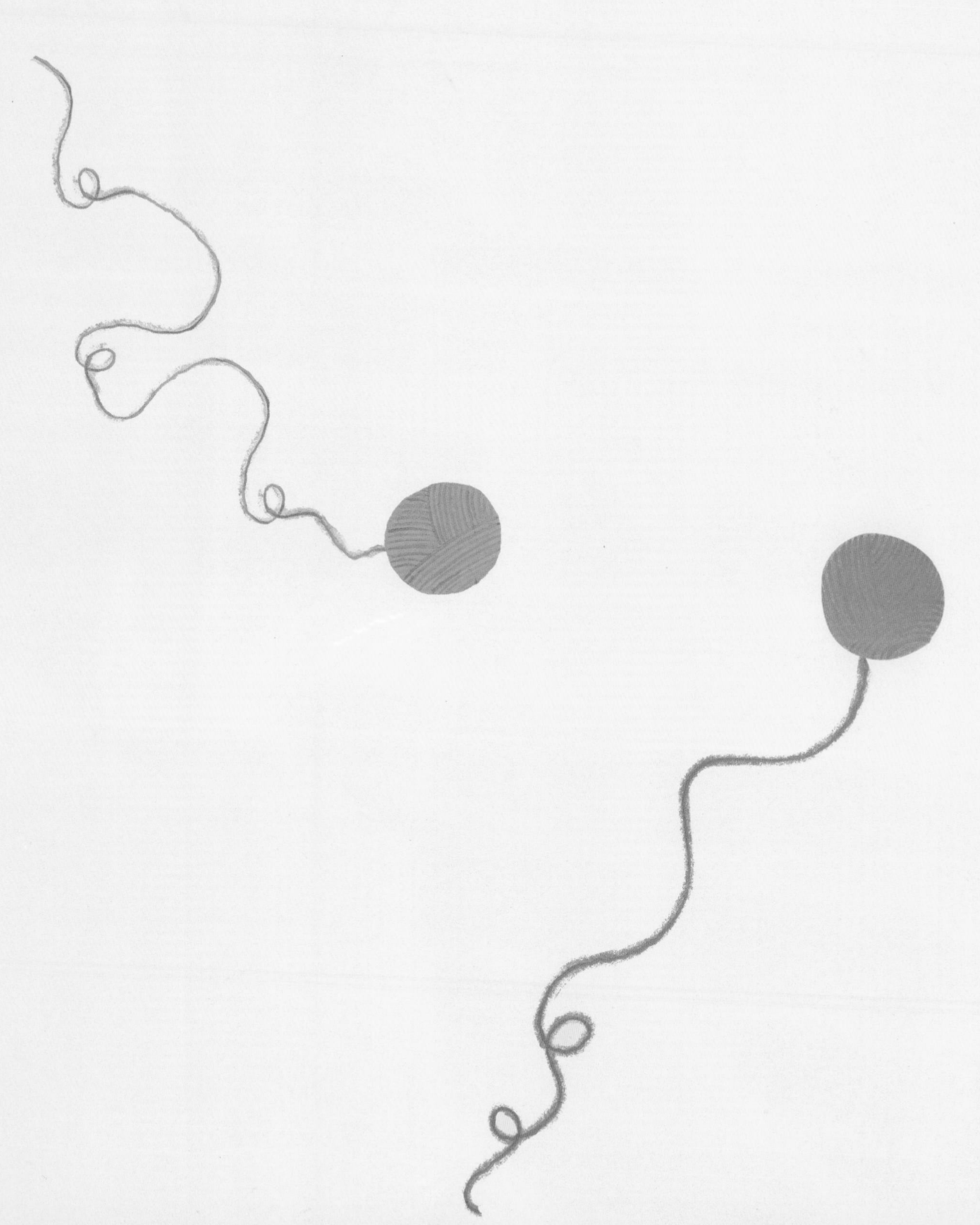

内容提要

冬天快到了，提拉想编织一条大毛毯，跟伙伴们度过一个温暖的冬天，小伙伴不理解提拉为什么每天都在不停地编织毛毯，经常给它制造麻烦。虽然这样，提拉依然没有放弃编织毛毯。

培养孩子的专注力有很多种方法，本书就提到其中一个方法。看着提拉终于编织完毛毯后的喜悦笑脸，相信孩子也会被感染到并会努力向提拉学习的。

图书在版编目（CIP）数据

提拉的毛毯 / 冬卉著；闻碟绘 .-- 北京：航空工业出版社，2018.1

ISBN 978-7-5165-1478-8

Ⅰ．①提… Ⅱ．①冬… ②闻… Ⅲ．①儿童故事—图画故事—中国—当代 Ⅳ．①I287.8

中国版本图书馆 CIP 数据核字（2017）第 327447 号

提拉的毛毯

Tila de Maotan

航空工业出版社出版发行

（北京市朝阳区北苑 2 号院 100012）

发行部电话：010-84936597 010-84936343

三河市春园印刷有限公司印刷 全国各地新华书店经售

2018 年 1 月第 1 版 2018 年 1 月第 1 次印刷

开本：787 × 1092 1/12 印张：2.75 字数：10 千字

印数：1—5000 定价：36.00 元

提拉的毛毯

冬卉 / 著　闻碟 / 绘

航空工业出版社
北京

“想不想看我拿了什么来啦？”提拉得意地说。

手推车里装满了毛线团。

朋友们惊呆了。

“什么呀？什么呀？你想做什么？”朋友们追问提拉。

提拉回答：“这是秘密，嘘！”

不管朋友们怎么追问，提拉就是不说。

“你们看提拉，从早织到晚。”

“也不跟我们玩儿。”

“怎么样才能让提拉跟我们一起玩呢？”

朋友们特别想和提拉一起玩，于是，拿着毛线跟它开起了玩笑。

“这里，这里啊！”

“往这儿扔！”

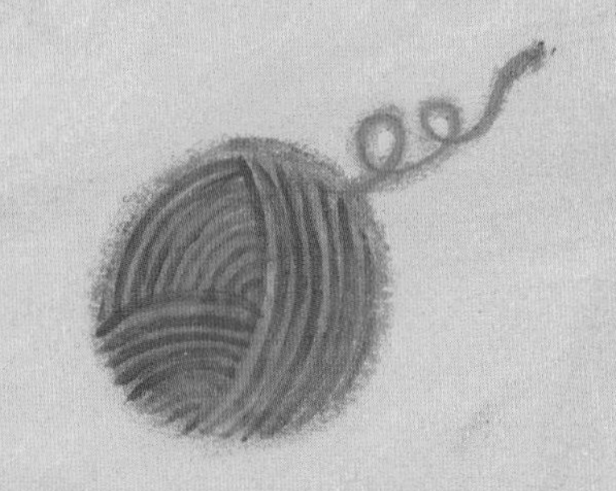

还把提拉的毛线扯的一团糟。

“这么容易就扯开了！”

“这个我来扯。”

“是我先抓到的！”

“你们在做什么呀？
把我的毛线都给扯乱了！”

“提拉，把毛线放一边和我们玩儿吧。”

“那可不行。我必须要赶在冬天到来之前织完。”

朋友们还是不能和提拉一起玩。

“蓝色的毛线怎么没了。
只差一点点了。”

“朋友们，我去买毛线，
你们千万不能动啊。”

“你们看，我的尾巴上粘了毛线！”

“哇！我们一起玩儿捉人游戏吧！”

朋友们觉得扯毛线特别好玩儿，于是不断地扯啊扯。

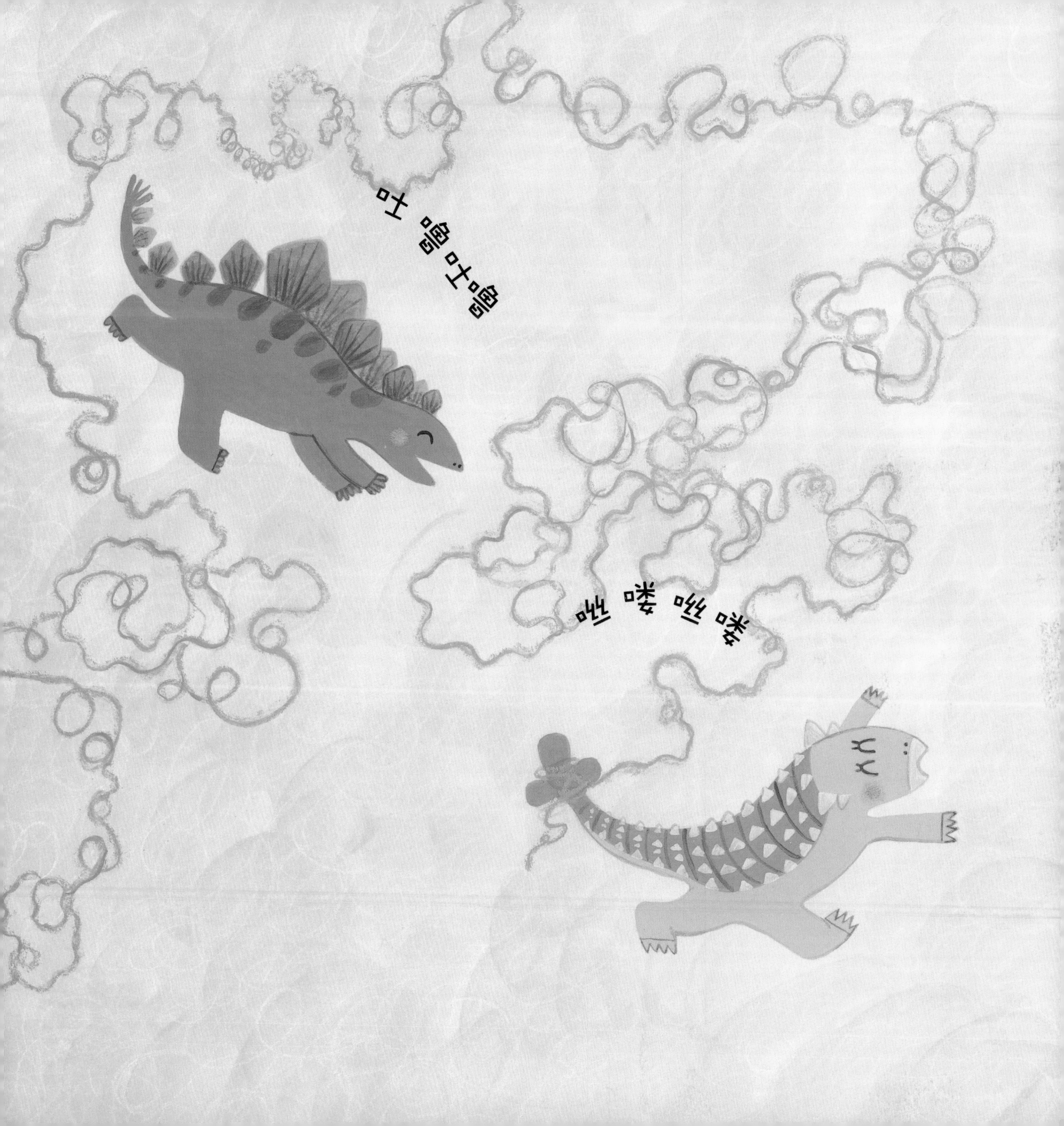
吐噜吐噜
咝喽咝喽

回到家的提拉非常地生气。

“你们真是太过分了！把我的东西弄得一团糟！”

提拉伤心地哭了起来：“其实我是要织一条大家可以一起盖的毛毯。”

朋友们不知所措。

“对不起，提拉。”

“我们都不知道……”

提拉整理毛毯的时候吓了一跳。

"这样的话更漂亮啊！"

“托你们的福，变成了更漂亮的毛毯了。”

“不是的，提拉。是你的编织手艺非常棒。”

窗外刚好下起了初雪。提拉的毛毯格外的暖和。

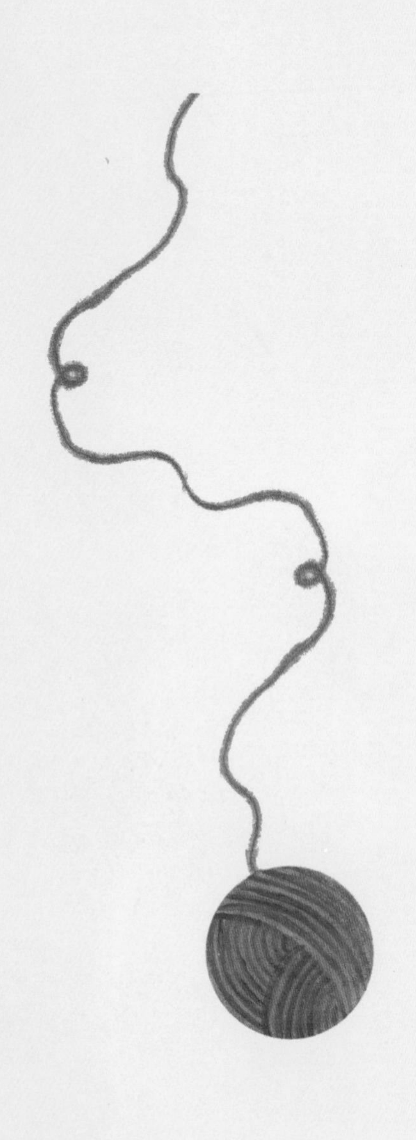

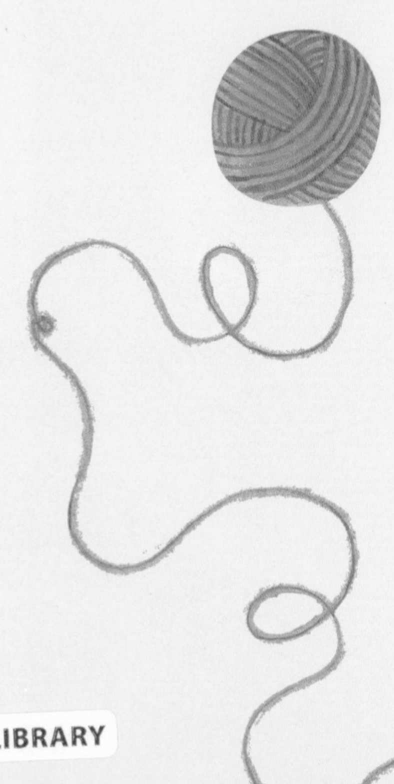